c o l l

Romans jeunesse

Éditions HRW

Groupe Éducalivres inc.
955, rue Bergar
Laval (Québec) H7L 4Z6
Téléphone : (514) 334-8466
Télécopieur : (514) 334-8387
Internet : http://www.educalivres.com

L'Heure Plaisir COUCOU

▼

Déjà parus dans cette collection:

Vénus
en autobus

▼

Yanik Comeau

À ma cousine Anouk,
une lectrice
de la première heure.

Vénus en autobus
Comeau, Yanik
Collection L'Heure Plaisir Coucou

Directeur de la collection : Yves Lizotte
Illustrations originales : Yves Boudreau

Nous reconnaissons l'aide financière du gouvernement du Canada par l'entremise du Programme d'aide au développement de l'industrie (PADIÉ) pour nos activités d'édition.

ISBN 0-03-927688-0
Dépôt légal – 1er trimestre 1997
Bibliothèque nationale du Québec, 1997
Bibliothèque nationale du Canada, 1997

Imprimé au Canada
3 4 5 6 LM 5 4

Table des chapitres

▼

Liste des personnages
de ce récit

▼

Au besoin, consulte cette liste
pour retrouver l'identité
d'un personnage.

Personnage principal :

Anouk Marigaud
une jeune fille de
huit ans, la narratrice.

Personnages secondaires :

La mère d'Anouk

Monsieur Vallée
le chauffeur d'autobus
moustachu.

Vatina

une jeune créature
vénusienne.

Volvos

le copain de Vatina,
Vénusien aussi.

Voava

un ourson avec un masque
de raton laveur.

Chapitre 1

Gaspé par la Voie lactée

Quand je serai grande, je serai astronaute. C'est déjà décidé. J'en ai discuté avec maman et elle est d'accord.

— Anouk, quand tu seras grande, tes rêves pourront devenir réalité si tu en décides ainsi, m'a-t-elle dit.

Alors je lui ai répondu :

— D'accord, maman. Prépare-toi pour le décollage !

J'ai déjà de l'expérience comme astronaute. C'est vrai ! L'été dernier, je suis allée à Gaspé chez grand-papa Roger, qui fait la pêche à la crevette.

Il faut faire un long voyage en autobus pour arriver à sa maison. Mais ce trajet a été rempli d'aventures.

Avant, je riais quand maman me disait : «Tu es passée par Tokyo pour aller à Toronto !» Aujourd'hui, j'ai enfin compris ce qu'elle voulait dire.

Moi, je suis passée par la Voie lactée pour atteindre Gaspé. Je me suis même rendue jusqu'à la planète Vénus en autobus !

Chapitre 2

Attachez vos ceintures !

Assise près de maman dans l'autobus, je regarde dehors et je commence à m'ennuyer.

— Est-ce que ce sera encore long, maman ? que je demande à la hauteur de Rimouski.

— Oh oui, mon chou, encore très long ! me répond maman.

La nuit tombe. Il fait si noir qu'on ne voit que de petites lumières qui s'effacent derrière nous.

Soudain, je sens mon siège qui s'incline. Est-ce que c'est maman qui me propose une position plus confortable ? Non ! L'autobus s'envole. Il décolle et s'élève dans le ciel !

— Au secours ! Au secours !

C'est le chauffeur qui crie.

– Que Dieu nous vienne en aide ! Attachez vos ceintures ! Nous partons dans les nuages ! annonce-t-il aux passagers.

Mais comment veut-il que nous attachions nos ceintures ? Nous n'en avons même pas.

D'un bond, je me lève. Je sais qu'il ne faut pas, mais je n'ai jamais reculé devant rien.

– Anouk, qu'est-ce que tu fais ? me crie maman, apeurée.

– Je vais aider le chauffeur, maman. Si tout va bien, je piloterai notre autobus qui se prend pour une navette spatiale !

Chapitre 3

Manœuvres galactiques

— Qu'arrive-t-il, monsieur ?

— Je ne sais pas, mais regagne ton siège avant de tomber à la renverse, me lance notre chauffeur à moustache.

— Ne vous en faites pas, monsieur…

— Vallée. Monsieur Vallée.

— Ne vous inquiétez pas, monsieur Vallée. Laissez-moi votre siège, je sais piloter.

Il me regarde, surpris.

— Je ne peux pas laisser les commandes de mon autobus à n'importe qui, jeune fille !

Soudain, notre autobus croise un avion en plein vol. Le pilote nous fait de grands bonjours de la main, tout heureux d'avoir de la compagnie aérienne !

– Ah ! ! ! des avions qui nous frôlent maintenant ? Au secours !

– Attention, monsieur Vallée ! Tenez bien le volant. Il ne faudrait surtout pas que nous accrochions une étoile filante ou un objet volant non identifié !

Monsieur Vallée est énervé. Il transpire à grosses gouttes.

– Mon permis de conduire ne comprend pas les vols interplanétaires ! Au secours !

Soudain, par le pare-brise de l'autobus volant, nous voyons un météorite qui approche. Monsieur Vallée lâche le volant et se couvre les yeux !

– Ah non ! À l'aide ! Je ne veux pas voir ça ! AAAhhhh ! ! !

Toujours calme, je saute sur les genoux du chauffeur et je prends les commandes.

En une fraction de seconde, je tourne le volant et j'évite la grosse boule qui allait nous transformer en bouillie !

– Hourra ! Une première manœuvre galactique réussie !

Chapitre 4

Vol plané entre les planètes

– Mais…, tu nous as sauvé la vie ! bafouille monsieur Vallée, à bout de souffle et étonné.

– Anouk Marigaud, super astronaute, pour vous servir !

Monsieur Vallée me cède sa place et m'explique comment manipuler les boutons et les manettes. En cas d'hésitation, nous improvisons. Il faut ce qu'il faut quand on vole à des années-lumière de la Terre !

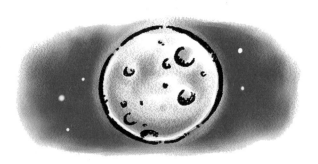

Hé ! mais c'est la Lune que je vois ! ? ! Incroyable ! À côté de nous, elle ressemble à une grosse boule de crème glacée à la vanille marbrée.

Notre autobus spatial file à toute vitesse. Heureusement que je connais bien le nom des planètes. On se retrouvera plus aisément dans le cosmos.

Avec ma mémoire phénoménale, je me suis imprimé tout mon livre sur le système solaire dans le coco !

Si je n'étais pas aussi occupée à piloter cet autobus détraqué, je me demanderais comment on retournera sur la Terre, mais... ah! un autre météorite à éviter! Avec mes talents, je ferais rougir les as de Formule 1!

Bientôt, nous passerons sans doute près de la planète Mars; c'est la plus proche de la Terre.

Mais non ! C'est Vénus que je vois, là, à notre gauche. Ça veut dire que nous nous approchons du Soleil ? Super !

Chapitre 5

Atterrissage d'urgence !

— Que se passe-t-il, Anouk ?
C'est toi l'experte du cosmos !
Qu'est-ce que c'est, cette force
qui nous tire, qui nous tire ?

Notre chauffeur est inquiet
et c'est normal. J'avoue que
je ne sais pas ce qui nous
arrive, mais nous approchons
de la surface de Vénus.

Oh ! oh ! Nous n'avons pas le choix, il faut atterrir ! Wow ! Attendez que je raconte à mes amis que j'ai fait un atterrissage d'urgence sur Vénus !

Prenant mon courage et le volant à deux mains, je dirige l'autobus comme une vraie professionnelle de la route... ou de l'espace, je ne sais plus !

Dans l'autobus, tout le monde dort, sauf monsieur Vallée. Mais il ne m'aide pas beaucoup avec ses mains sur les yeux !

BING ! BANG ! CRASH ! POW !

Sans m'en rendre compte, moi aussi j'ai fermé les yeux pendant quelques secondes. Comme si j'avais été à La Ronde, dans les montagnes russes !

Wow! Quand j'ouvre les yeux, nous sommes au milieu d'une grande plaine qui pourrait se comparer à un désert.

Je me sens comme le pilote dans *Le Petit Prince*! Sauf que je suis dans l'autobus volant de monsieur Vallée avec maman et un paquet de passagers qui ronflent comme des tracteurs!

Chapitre 6

Vatina et Volvos

— Vous voilà, vilains voya-geurs vagabonds !

Hein ? Qui a dit ça ?

— Monsieur Vallée, pourquoi prenez-vous une voix étrange ? ce n'est pas le moment.

— Quoi ? Je n'ai rien dit ! Ce n'est pas toi qui essaies de me jouer un tour, Anouk ?

Toc ! Toc ! Toc !

Quelqu'un frappe à la portière de l'autobus.

Par la fenêtre, je peux voir une forme étrange aux oreilles en forme de cornets de crème glacée. La petite créature n'a qu'un gros œil et de longs cils argent. Ouach! Pas très accueillant comme binette...

– Venez-vous vaccinés?

Hein? Qu'est-ce qu'elle dit? Si nous sommes vaccinés? Mais bien sûr, voyons! Elle ne croit quand même pas que nous sommes venus contaminer sa planète?

La petite créature se présente finalement quand j'ouvre la porte de l'autobus.

Elle s'appelle Vatina et son copain, qui lui ressemble beaucoup mais qui a des cils moins longs, se nomme Volvos.

– Voulez-vous visiter Vénus? demande gentiment Vatina. Venez! Volvos vérifiera votre vaisseau. Vous voudrez vraisemblablement vous véhiculer vers votre ville…?

Notre ville ? On se contenterait bien de notre planète !

Monsieur Vallée est complètement figé. Il ne dit pas un mot et il regarde nos hôtes comme s'ils venaient d'une autre planète ! Mais qu'est-ce que je dis là ? C'est exactement d'où ils viennent... ou plutôt d'où nous venons !

– Vous verrez Valdérone, ville vitale vénusienne, nous propose Vatina pendant que Volvos sort un coffre à outils et examine notre autobus volant.

Elle veut sans doute dire la capitale de la planète Vénus. Décidément, les Vénusiens ont une bien drôle de façon de s'exprimer!!!

Chapitre 7

Voilà Valdérone !

En quelques minutes, nous nous retrouvons à Valdérone, une ville qui ressemble à un village western que j'ai vu dans un film de cow-boys.

Ce n'est pas une grosse capitale comme Paris, Londres, Washington ou même Québec !

Vatina aime sa planète et sa ville, c'est bien évident. Elle en parle avec beaucoup de fierté dans... son œil !

Monsieur Vallée nous suit, mais il a l'air somnambule. Il n'est pas habitué à l'aventure !

Sur Vénus, on mange surtout des vermicelles et du vulpin, une plante à la forme rigolote que Vatina trouve sucrée. Moi, je n'ai pas osé y goûter. Je suis aventurière, mais quand même !

Ils boivent aussi du vevzi vola, une boisson verte qui fait des bulles.

Je crois que si j'habitais Vénus, je m'ennuierais de la pizza végétarienne, du sorbet aux fraises et des biscuits au beurre d'arachide !

Chapitre 8

Visite de Vitrine vivante

– Venez voir Vitrine vivante, invite Vatina.

Vitrine vivante ? Vow ! euh... je veux dire «wow» ! C'est si beau. On dirait le Biodôme de Montréal !

À travers la Vitrine vivante, on peut voir plusieurs espèces d'animaux qui vivent dans cet environnement quasi magique.

Vatina m'explique que chacune des créatures a une tâche précise. C'est un peu comme moi, à la maison, avec la vadrouille !

En entrant à l'intérieur de cette grosse boule vitrée, Vatina me présente un vitalopède. C'est un dinosaure au long cou qui lave le dôme avec sa langue pour s'assurer que le soleil puisse y pénétrer.

Le visorus, lui, ressemble
à un crocodile. Il est végétarien.
Il rase régulièrement la pelouse
pour que les animaux n'attra-
pent pas le rhume des foins !

Après avoir rencontré, flatté
et nourri des dizaines d'animaux bizarres, je commence
à être fatiguée. Monsieur
Vallée, lui, est épuisé.

Je regrette de ne pas avoir apporté mon appareil-photo. Mais il est temps de retourner à l'autobus si nous voulons arriver à Gaspé à l'heure !

Chapitre 9

Un petit ami poilu

Nous arrivons près de l'autobus, que Volvos a réparé pour nous.

– Voava, dit Vatina en me tendant une boîte.

– Quoi ? Qu'est-ce que c'est ?

À l'intérieur, je trouve un petit animal velu. Il ressemble à un ours miniature, mais il porte un masque de raton laveur. Il est adorable ! Vatina me l'offre en gage de notre amitié.

— Merci. Merci beaucoup. J'en prendrai bien soin. Promis !

Et nous voilà de nouveau à bord de notre autobus volant.

Cette fois, monsieur Vallée prend les commandes. Pendant que j'envoie la main à mes amis vénusiens, il fait démarrer l'autobus, qui s'envole vers la Terre.

Le voyage du retour se passe bien. En un rien de temps, nous voilà de nouveau dans l'atmosphère terrestre.

Chapitre 10

Rêve ou réalité ?

Monsieur Vallée prépare l'atterrissage. Il pilote en maître ! J'ai été une bonne professeure. Je peux retourner à ma place auprès de maman.

BING ! BANG ! CRASH ! POW !

Nous sommes revenus sur Terre. Le bruit a réveillé maman et les autres passagers. Pas étonnant! Monsieur Vallée ne maîtrise pas bien la technique de l'atterrissage.

— Maman, comment as-tu trouvé notre visite de Vénus?

— Vénus? me lance maman en éclatant de rire. Nous sommes allées sur Vénus pendant que je dormais? Tu aurais dû me réveiller, Anouk.

Je connais bien ce rire de ma mère. Elle ne veut pas décourager mon imagination. Elle croit que j'ai tout rêvé.

J'ouvre discrètement la boîte, que j'avais sagement rangée sous le siège. Mon petit Voava frotte sa tête sur mes pouces. Il est content que je sois sa nouvelle maîtresse.

Cependant, je ne pense pas que maman soit prête pour les présentations. J'attendrai d'être arrivée chez grand-papa Roger.

Ça tombe bien. Voilà justement le terminus de Gaspé, là, devant le soleil qui monte sur le Saint-Laurent.

Mais comment maman réagira-t-elle quand je lui présenterai mon Voava ?

FIN